À Marie
D. C.

À Marianne…
V. M.

Vincent Mathy a bénéficié d'un soutien de la
Fédération Wallonie-Bruxelles de Belgique
pour la création de ce livre.

Collection dirigée par Emmanuelle Beulque
© 2013, Éditions Sarbacane, Paris
www.editions-sarbacane.com
facebook.com/fanpage.editions.sarbacane

Dépôt légal : 2e semestre 2013.
ISBN : 978-2-84865-622-9 - Imprimé en France par Pollina - L65256.

Les Jours Hibou

DAVIDE CALI
VINCENT MATHY

Les jours hibou, je reste tout seul
sur une branche.

Je ne parle à personne.
Je n'ai pas envie de rigoler.
Je n'ai pas envie de jouer avec les autres.
Parfois je lis, des bédés que j'ai déjà lues.

Sur ma branche, j'observe les insectes.
Ils sont intéressants, les insectes.

J'aime bien les fourmis qui font des allers-retours
sur le tronc de l'arbre, avec quelque chose dans
la bouche. Mais les insectes que je préfère,
ce sont les mantes religieuses et les libellules.
Et les cerfs-volants.

Souvent, je pense
à la grandeur de l'univers.

Des millions et des millions d'étoiles.
Et nous, juste un petit point bleu azur
quelque part dans le grand noir éternel.

– Pourquoi tu ne joues pas avec les autres ?
demande la maîtresse.

Je ne sais pas. Les autres enfants appellent
ça les jours hibou.
Ces jours-là, ils ne m'invitent jamais à jouer.
Ils disent : C'est un jour hibou. Laisse tomber.

Les jours hibou arrivent et partent tout seuls.

Parfois, ils ne durent qu'un après-midi.
Parfois, des jours entiers.

Mais aujourd'hui, c'est différent.
Aujourd'hui, mon hibou pèse plus lourd.
Je commence à penser que je ne descendrai
jamais de cette branche.

Qu'est-ce qu'ils vont faire, alors ? Ils vont m'obliger ?
Ils vont appeler les pompiers, peut-être ?
Ou l'armée ?

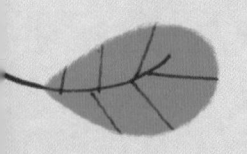

Ou bien des bûcherons vont scier le tronc…
… et m'emmener à la maison accroché à la branche…
Est-ce qu'on me laissera entrer dans la classe après,
avec ma branche ?

Les autres ne me regardent pas.
Ils jouent au foot.

Il manque un joueur dans une des deux équipes,
pourtant personne ne me dit de venir.
Les hiboux ne jouent pas au foot.

J'aimerais descendre jouer. Mais mon hibou
est trop fort aujourd'hui. J'aimerais que tout
le monde vienne jouer chez moi, sur ma branche.
Sauf qu'on ne peut pas jouer au foot dans un arbre.

– Qu'est-ce que tu fais, là-haut ?
C'est Camille qui a parlé. Étrange : dans la cour,
d'habitude, les filles ne parlent qu'avec des filles.

– Rien, je dis.
– Pourquoi t'es là-haut, alors ?
– Je sais pas.

Elle grimpe.

Une fille qui grimpe dans un arbre ?
On n'a jamais vu ça.

C'est bizarre d'être deux sur la branche.

Camille aussi aime bien les insectes.
Ça, c'est encore plus bizarre. Pour une fille,
je veux dire. Elle aime bien les fleurs, aussi.
Je lui dis le nom de tous les insectes que je connais.
Elle me dit le nom de toutes les fleurs qu'elle connaît.
Elle en connaît plein.

Alors, je lui dis le nom de toutes
les étoiles que je connais.

Comme le jour, on ne peut pas les voir, elle me
demande si l'été prochain, on pourra se voir un soir
pour que je lui montre mes étoiles.

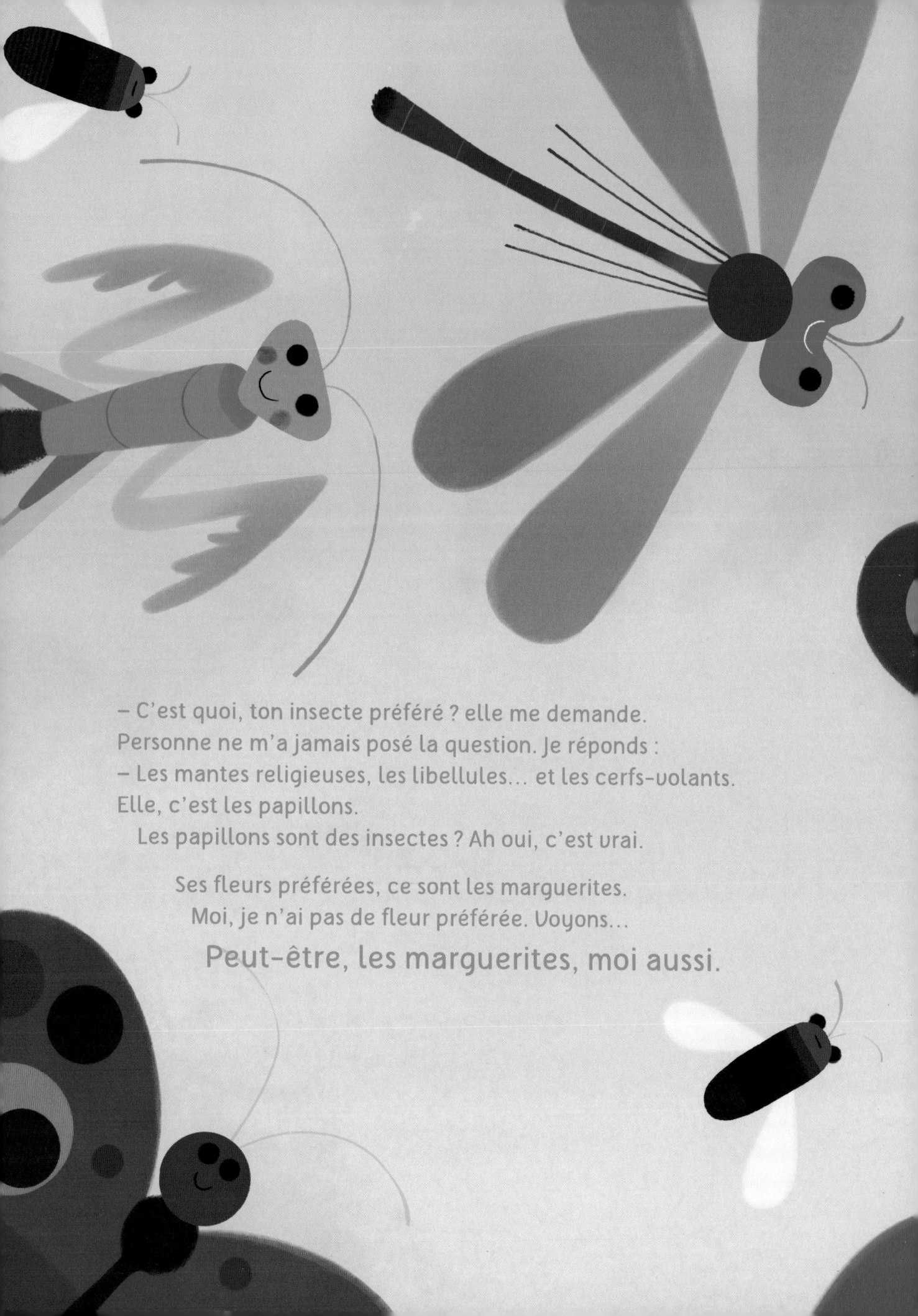

– C'est quoi, ton insecte préféré ? elle me demande.
Personne ne m'a jamais posé la question. Je réponds :
– Les mantes religieuses, les libellules… et les cerfs-volants.
Elle, c'est les papillons.

   Les papillons sont des insectes ? Ah oui, c'est vrai.

   Ses fleurs préférées, ce sont les marguerites.
     Moi, je n'ai pas de fleur préférée. Voyons…

Peut-être, les marguerites, moi aussi.

– Et ton étoile préférée ? elle demande encore.
– Mon étoile préférée s'appelle Betelgeuse.

Et pendant que je prononce Be-tel-geu-se,
je m'aperçois que mon hibou n'est plus là.

Il est parti.

D'un coup, j'ai envie de descendre tout de suite
mais je reste avec Camille jusqu'à la fin de la récré.
– Tu sens ?
– Quoi ? je dis.
– Le parfum de l'été qui arrive…

C'est vrai. Je viens juste de le remarquer, moi aussi.

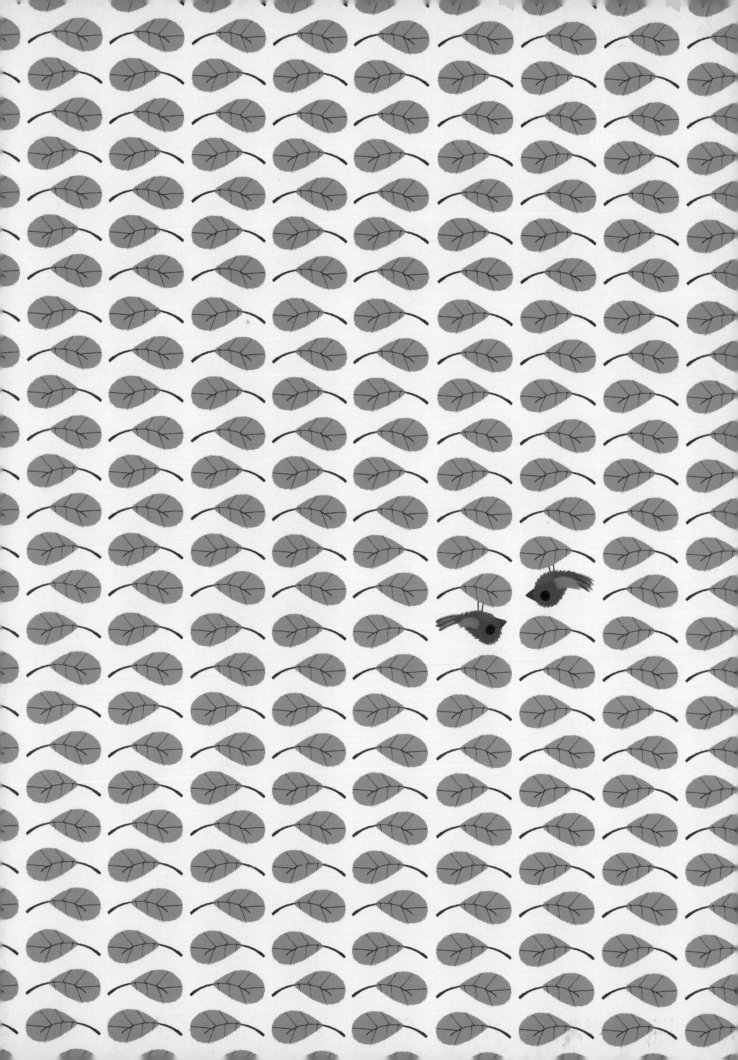